Wij mogen nooit wat!

Het reuzenfeest

Zwemmen als een zeehond

Feest in de straat

Piraat in het gips

Logeren bij opa!

*Actuele informatie over Kluitmanboeken
kun je vinden op **www.kluitman.nl***

de Warrels

Logeren bij opa!

Debora Zachariasse

Tekeningen
Petra Heezen

Boeken met dit vignet zijn op niveaubepaling
geregistreerd en gecontroleerd door
KPC Groep te 's-Hertogenbosch.

Nur 287/L050701
© Uitgeverij Kluitman Alkmaar B.V.
© Tekst: Debora Zachariasse
© Illustraties: Petra Heezen
Omslagontwerp: Design Team Kluitman

www.kluitman.nl

Logeren

Mama kijkt zo vrolijk.
Alsof ze leuk nieuws heeft.
„Hoor eens, kids van me," zegt ze.
Ze bedoelt Mats en Marit.
Marit Warrel is de oudste.
En Mats Warrel is de jongste.
„Papa en ik hebben een feest."
„Gaaf," zegt Mats.
„Mogen wij mee?" vraagt Marit.
„Dat kan niet," zegt mama.
„Het wordt heel laat."
„Geeft niet," zegt Marit.
„Toe, voor één keer?"
Mama lacht.
„Nee joh," zegt ze.
„Er is niks aan voor jullie.
Ik weet iets beters.
Raad maar!"

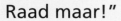

7

Mats en Marit kijken elkaar aan.
„Mogen we naar opa?"
Mama knikt.
„Echt? Cool!" roept Mats.
„Wanneer?" vraagt Marit.
„Vrijdag," zegt mama.
„Opa haalt jullie op."
„Nog drie nachtjes!" zegt Mats.
Hij kan haast niet wachten.
Opa is stoer.
Hij kent sterke verhalen,
over de zee.
Bij opa slapen is tof.
Hoe zou het nu bij opa zijn,
denkt Marit.
Zonder oma…
Maar ze zegt niets.

Wat nemen we mee?

Het is vrijdag.
Over een uur komt opa.
„Pak je tassen maar in," zegt papa.
„Maar pap," vraagt Mats.
„Wat moet er dan mee?"
„Ik weet het!" roept Marit.
„Mijn nachtpon, mijn boek.
Tandpasta en mijn borstel."
Ze rent weg.

„Nou, je hoort het," zegt papa.
„Je nachtpon en je borstel."
Hij geeft Mats een knipoog.
Mats lacht.
Hij legt een stapel klaar.
Zijn boek, zijn pyjama.
Zijn liefste knuffels:
Lorre en Slappe Aap.

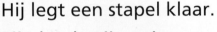

9

Mats propt zijn tas vol.

Papa komt kijken.

„Ben je klaar?" vraagt hij.

Mats knikt.

Alles zit er in, zelfs zijn sloffen.

„Klaar, Marit?" vraagt papa.

„O nee," zegt Marit.

„Beer moet nog mee!

Kom Beer, jij mag ook mee naar opa."

Dan zijn ze klaar.

Ze mogen nog even spelen.

Maar dat wil Mats niet.

Hij kruipt bij papa op schoot.

„Ik heb geen zin meer," zegt hij.

„Ik snap er niks van.

Net wou ik nog wel naar opa."

Papa aait over Mats' hoofd.

„Vind je het gek zonder oma?"

„Oma was zo lief," zegt Mats.

„Ik wil niet dat ze dood is."

Papa knikt.

Mats denkt even na.

„Pap," vraagt hij.

„Denk je dat opa oma erg mist?"

„Ik denk het wel," zegt papa.

„Niet de hele dag.

Maar wel af en toe."

„Dan troost ik hem wel," zegt Mats.

Hij is opeens weer blij.

De bel gaat.

Daar is opa!

Mats rent naar de deur.

Maar Marit aarzelt.

Zou opa nu heel anders zijn?

Of nog hetzelfde?

11

Naar opa

Opa geeft hen een dikke zoen.
„Zo, maatjes," zegt hij.
„Hoe is het met de oren?
Ik heb vier oren nodig."
Mats snapt er niets van.
„Wat is er met mijn oren, opa?"
Opa steekt zijn duim op.

Marit snapt het.
Soms jeukt opa's duim.
Dan komt er een sterk verhaal.
Over de zee.
„Opa, jeukt je duim?" vraagt ze.
„Je weet maar nooit," lacht opa.
„Hou je oren maar open!"
Blij pakt Marit haar tas.
Opa is nog gewoon opa.
Net als vroeger.
Dat is fijn.

Ze geven papa een zoen.
En mama krijgt een dikke knuffel.
Ze mogen bij opa in de auto.
Mats zwaait en zwaait.
Marit ook.
Tot het einde van de straat.

Ze rijden een eind.
Dan zijn ze er.
„Opa?" vraagt Marit.
„Mogen we in dat grote bed?
Dat net op een schip lijkt?"
„Tja," zegt opa.
„Dat bed is oud, hoor.
Straks lijd je schipbreuk."

13

Ze gaan naar zolder.

Daar is het grote bed.

Marit springt er in.

„Mag het, opa?" roept ze.

„Als je kalm aan doet, maatje," zegt opa.

Marit klimt weer uit het bed.

Ze pakken hun tas uit.

Beer mag nu al in het schip.

Samen met Lorre en Slappe Aap.

In de kombuis

„Zo, nu de kombuis in," zegt opa.

„Wie wil er een pannenkoek?"

O ja, denkt Mats.

Zo noemt opa dat.

De kombuis is de keuken.

De keuken op een schip.

„Mag ik helpen?" vraagt hij.

„Ja," zegt opa.

„Geef maar eens een ei aan."

Mats mag klutsen.

Opa doet er meel bij, en melk.

„Ik mag roeren," zegt Marit.

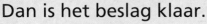

Dan is het beslag klaar.

Opa bakt.

Hij gooit de pannenkoek hoog op.

Hij vangt hem in de pan.

„Mag ik de laatste doen?" roept Mats.

Mats pakt de pan.

Oei, wat is die zwaar!

„Probeer maar," zegt opa.

Mats gooit de pannenkoek op.

En hij vangt.

Mis!

„Geeft niks," zegt opa.

„Heeft Vlek ook wat."

Dan gaan ze smullen.

Mats doet er stroop op.

Marit wil suiker en citroen.

Opa neemt kaas.

Vlekkie krijgt het stuk van Mats.

Met niks.

„Opa," zegt Marit.

„Jij kunt best goed koken.

Leer je dat op een schip?"

Opa knikt.

Mats propt zijn mond vol.

„Ik ga later ook op een schip," zegt hij.

„Ik ook," zegt Marit.
Ze neemt nog een hap.
„Jij niet, pop," zegt opa.
„Geen vrouwen aan boord.
Dat kan niet."
„Kan best," zegt Marit.
„Vroeger niet, maar nu wel.
Ik mag worden wat ik wil.
Stuurman of kapitein."
„Zo?" zegt opa.
„Klopt dat, Mats?"
„Ja," zegt Mats.
„Maar dat weet jij niet, opa.
Want jij bent al oud."
Dan moet opa lachen.

Samen wassen ze af.
Opa wast en Mats droogt.
Marit zet alles in de kast.
„Zo, en nu in bad," zegt opa.
„Jullie plakken!"

De orkaan

Het is leuk in bad.
Marit pakt de fles met schuim.
Ze giet een flinke scheut in bad.
Onder de kraan groeit een berg wit schuim.
„Net als op zee," zegt Marit.
Ze duikt in de berg.
Mats maakt een witte baard.
„Ik was opa."
„Ik was de storm," zegt Marit.
Ze maakt een golf met haar been.
Het water plonst over de rand.
„Hier is orkaan Marit!"
„Help!" roept Mats.
„We vergaan!"

„Meer schuim!" roept Marit.

Mats giet er nog meer bij.

Marit klotst met haar voet.

„Schipbreuk!" gilt Mats.

Hij knijpt weer in de fles.

Maar er komt niks meer uit.

„Het is op," zegt hij.

Dan gaat de deur open.

„Hallo!" zegt opa verbaasd.

„Wat is dit?"

Nu pas zien ze de vloer.

De vloer is kletsnat

De mat ook.

Marit schrikt.

Mats wordt rood.

Maar opa schiet in de lach.

„Sorry," zegt Marit.

„Ik was een orkaan."

„En ik was jou," zegt Mats.

Hij heeft nog steeds een baard.

19

Samen dweilen ze de vloer.

Het is zo klaar.

Dan doen ze hun pyjama aan.

En ze poetsen hun tanden.

Opa brengt hen naar bed.

Samen op de zolder.

„Jeukt je duim al?" vraagt Marit.

Opa voelt aan zijn duim.

„Ik geloof het wel," zegt hij.

„Ja," roept Mats.

„Een verhaal!"

Schipbreuk

Vlug gaan ze in het bed.
Opa zit op de rand.
Beer mag er ook bij.

„Eens kijken," zegt opa.
„Die schipbreuk met die vis
die het halve schip opat?
Kennen jullie dat verhaal?"
„Nee, vertel, opa!" zegt Marit.
„Nou, hij at het halve schip op," zegt opa.
„De bootsman stond vlak achter me.
Opeens was hij weg.
Ik riep nog: 'Boots!'
En ik keek om.
Wat ik toen zag!
Duizend witte tanden.
Twee gele ogen.
Dus dat was Boots niet.
Boots had bruine ogen."

21

„Was het een vis?" roept Mats.

„Krek," zegt opa.

„Met het halve schip in zijn muil!
Ik was de laatste man."

Opa snuift.

„Dus ik rende naar de mast en klom er in.
Zo vlug ik kon.

Nou, daar zaten we, Vlek en ik.
Wat een reis!

Die vis zoefde door de zee,
met het schip in zijn bek.

Eén klap met die staart,
en we stoven weg.

Negen knopen, tegen de wind in."

„Is dat hard?" vraagt Mats.

„Nou en of," zegt opa.

„Schuim stoof ons om de oren.
Kijk, mijn haar is nog wit.

En Vlek hier zat vol vlekken."

„Was Vlekkie dan zwart?" vraagt Marit.

„Zwart als de as in mijn pijp," zegt opa.

„Tsss," zegt Marit.

Ze aait Vlekkie zacht.

Vlekkie is zwart met wit.

Maar de witte vlekken zijn droog.

Het is geen schuim.

Zo is haar vacht.

Marit lacht.

Het is een sterk verhaal!

„Maar opa, was jij niet bang?"

„Wie? Ik? Bang?"

Opa moet hard lachen.

„Ik ben nooit bang.

Nooit," zegt hij.

„Maar een trek dat ik had...

En dorst!

Het is een wonder dat ik nog leef."

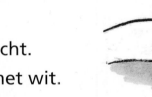

„Maar opa," zegt Mats.

„Hoe kwam je dan weer thuis?"

„Luister," zegt opa.

„Pas na een maand zag ik land.

Liet die vis opeens een grote boer.

Blurp!

Het schip zonk.

En Vlek en ik spoelden zo aan land.

De vis zwiepte nog met zijn staart.

Als groet, begrijp je.

En weg was hij.

Toen moesten we lopen.

Pas na twee maanden waren we thuis.

Veel te laat.

Weet je wat oma zei?

'Wie hier te laat komt, krijgt geen eten!' "

„Kreeg je niks?" vraagt Mats.

„En je had juist zo'n trek!" zegt Marit.

Opa lacht.

„Ik kreeg stamppot met een meter worst.

Oma was een schat."

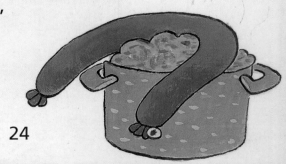

„Ik word later ook oma," zegt Marit.

„Ik ook," zegt Mats.

„Opa, bedoel ik.

Net als jij, opa.

Met sterke verhalen."

„Sterke verhalen?" zegt opa.

„Elk woord is waar!

Als je dat maar weet."

Dan krijgen ze een zoen.

„Slaap lekker."

25

Opa

Marit valt in slaap.

Maar Mats moet steeds aan opa denken.

Hij woelt en woelt.

Het bed kraakt.

Nu is opa echt alleen, denkt Mats.

Zonder oma.

En zonder ons.

Hij staat op en sluipt de trap af.

Opa zit in de kamer.

In de grote stoel.

„Dag knul," zegt hij.

„Ben je daar?"

Mats klimt op zijn schoot.

„Opa," vraagt Mats.

„Vond oma het erg als jij weg moest?"

„Ja, nou," zegt opa.

„Ze zwaaide en zwaaide.

Heel lang.

Tot het einde van de straat.

Net of ze bleef staan wachten,

tot ik terug was."

26

Mats knikt.

„Maar nu ben ik thuis," zegt opa.

„En zij is weg, voor altijd.

Het is wat."

„Ja, het is wat," zegt Mats.

„Ik denk dat je oma wel mist."

„Ja, jochie," zucht opa.

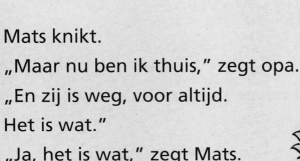

Zo zitten ze nog een poos samen.

Mats geeuwt.

„Kom," zegt opa.

Ze sluipen de trap op.

„Ssst, Marit slaapt," zegt Mats.

Hij kruipt diep onder de wol.

„Opa," zegt hij zacht.

„Wat, maatje?" bromt opa.

„Maar goed dat je ons hebt, hè opa."

„Krek zo," zegt opa.

Liegen en pesten

Marit wordt wakker van de zon.
Een straal valt op haar gezicht.
Mats is al op.
Marit klimt ook uit bed.
Ze rent de trap af.

Mats en opa zijn in de kombuis.
Opa lacht.
„Wil mijn slaapkop een kop thee?"
Dat wil Marit wel.
Thee met beschuit.
„Kleed je maar aan.
En pak je tas in, maatjes," zegt opa.
„Dan gaan we kaarten."
Dat doen ze.
Liegen en pesten.
Niet echt, natuurlijk.
Zo heet het spel.
En dan mag het.

28

Een uur later wordt er gebeld.

Zijn papa en mama er nu al?

De tijd vliegt als je liegt!

Opa maakt koffie.

Ze blijven nog even.

Mats en Marit vertellen.

Over de kombuis.

Over de orkaan in bad.

Over de schipbreuk en de vis.

En over de vlekken van Vlekkie.

Dan gaan ze weg.

Mats en Marit geven opa een dikke knuffel.

En ze zwaaien en zwaaien.

Heel lang.

Tot het einde van de straat.